Si vous désirez être tenu au ___
Marabout, envoyez simplement ___
carte postale à **Marabout** — Se___
Vaugirard, Paris VIe ou 65, rue de Limbou___
ou, pour les Amériques, à Kasan Ltée, 226 E___
Canada. Vous recevrez gratuitement, tous ___
d'information illustré qui vous renseignera ___
chez votre libraire.

Une réalisation de	Marabout Flash
avec la collaboration de	**Andrée Van Weyenbergh**
Illustrations des chapitres	Lucien Meys
Photos	Cf. sources de l'iconographie p. 155
Couverture	Henri Lievens
Montage graphique	Studio Marabout
Rédactrice en chef	Claire Van Weyenbergh
Directeur de collection	Jean-Jacques Schellens

DU PORTRAIT AU CROQUIS DE MOUVEMENT

JE DESSINE

Tome 2

PERSONNAGES ET ANIMAUX

MARABOUT FLASH

- Afin de permettre à ses lecteurs d'être toujours au courant des dernières techniques, informations ou nouveautés, l'équipe rédactionnelle de Marabout Flash tient constamment à jour une documentation considérable sur tous les sujets étudiés dans l'« Encyclopédie Permanente de la Vie Quotidienne ».
  En cas de réédition, vous êtes donc assuré que toutes les mises au point, adaptations et ajoutés nécessaires ont été faits afin de vous permettre, dans le domaine du dessin, d'être rigoureusement « à-la-page » !

- La partie rédactionnelle de ce Flash est absolument exempt de toute publicité et libre de toute attache.

La Collection Marabout est éditée et imprimée par
GERARD & Cᵒ
65, rue de Limbourg, B-4800 Verviers — (Belgique)
Correspondant général à Paris : L'INTER, 118, rue de Vaugirard. Paris VIᵉ — Gérant exclusif et Distributeur général pour les Amériques : KASAN Ltée, 226 Est, Christophe Colomb, Québec 2 P.Q., Canada — Distributeur en Suisse : Editions SPES, rue de la Paix, 1, Lausanne.

CE FLASH EN UN COUP D'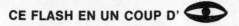

CARICATURES...

Quand on se mêle de dessiner un de ses congénères, on commence généralement par les épaules ; ensuite, le tronc, les bras, les jambes. La tête, c'est pour plus tard et, en attendant, on esquisse une petite sphère ou un œuf suivant l'inspiration du moment.

Tout ça ne ressemble à rien ! Il faut donc fignoler. Comme les épaules ont plutôt l'air d'un portemanteau, on est évidemment tenté de dessiner un veston. Et du reste « ça tombe bien », parce que les bras on ne sait trop qu'en faire, et les mains... il n'y a plus qu'à les fourrer dans les poches ! Ça y est donc pour le haut.

7

Et les jambes ? Un pantalon arrange pas mal les choses, mais il reste les pieds... On peut éventuellement les dessiner à la Charlot, c'est encore ce qu'il y a de plus simple, ou bien alors on peut planter le bonhomme dans une prairie : l'herbe folle camouflera à merveille ses extrémités. Et voilà, la silhouette est terminée !

La tête maintenant. Comment la rattacher au tronc ? Un foulard, c'est le truc idéal. Quant au front, on se heurte immédiatement au problème de l'implantation des cheveux : une mèche négligente permet de contourner la difficulté... La coiffure ? Un chapeau, c'est plus facile. Et, enfin, il y a les yeux, le nez, la bouche. Ah ! les yeux... Ils n'ont jamais l'air d'être à la bonne place. Et pourquoi pas des lunettes solaires, de grandes lunettes noires qui apportent en même temps une solution pour le haut du nez et les joues ? Restent la bouche et le menton. Le menton peut éventuellement se perdre dans un petit bouc et une cigarette permet d'enlever un peu de précision au tracé des lèvres.

Ce n'est pas tout : il y a encore les oreilles. Evidemment, elles ressemblent toujours à des feuilles de chou. En plaçant la tête légèrement de profil, c'est déjà gagné pour moitié, puisqu'il n'en reste plus qu'une à dessiner. Et l'autre ? Eh bien, ce sera ce grand point d'interrogation qui signifie : comment faut-il s'y prendre pour dessiner un personnage ?

Cela n'a pourtant pas l'air tellement compliqué quand on voit le cancre, au fond de la classe, qui griffonne dans un coin de son manuel la tête de son prof plus typique

que jamais, plus vrai qu'en photo. C'est que le cancre, en attendant que se termine la leçon de math, passe un temps infini à observer le prof, à détailler chaque trait de son visage, à analyser ses expressions.

En effet, pour réussir un dessin de personnage, il faut apprendre à regarder. On ne peut dessiner une silhouette dans ses justes proportions si l'on n'a pas regardé un squelette. On est incapable de modeler un visage si on ne l'a pas observé dans ses moindres détails. Et, tout comme on ne parle pas russe quand on n'a appris ni grammaire ni vocabulaire, on n'arrive pas à dessiner un personnage sans apprentissage ni exercice.

Ce Flash, c'est en quelque sorte la grammaire du dessin de personnage qui, en quelques leçons, vous conduira au succès. Sans compter le plaisir que cela vous procurera, vous pourrez dès lors envisager plus d'une carrière : le dessin de mode, le dessin publicitaire, la bande dessinée, et, pourquoi pas, la caricature. Voici donc une heureuse alliance de l'agréable et de l'utile.

LE CORPS HUMAIN

En dessin, chacun a sa petite spécialité. L'un préfère les voitures, l'autre les maisons ou encore, les fleurs, les arbres ou bien les coiffures, les profils. Mais, quand il s'agit de dessiner un personnage, comment faut-il s'y prendre ?

Les proportions

Décomposons le problème et intéressons-nous d'abord aux proportions. Celles-ci dépendent de l'âge du modèle. Les dessins qui suivent vous donnent les proportions-type pour chaque âge.

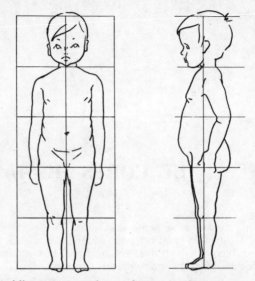

On oublie souvent qu'un enfant a la tête proportionnelle-ment beaucoup plus grosse qu'un adulte. Les peintres primitifs eux-mêmes l'ignoraient : il suffit de voir la différence entre le bébé d'une vierge à l'enfant d'un primitif italien et les petits amours de Rubens ou de Boucher…

Un enfant n'est pas un adulte en plus petit. La tête d'un bébé de deux ans entre deux fois (tête comprise) dans la hauteur totale. Tout potelé, le bébé n'a quasi pas de cou.

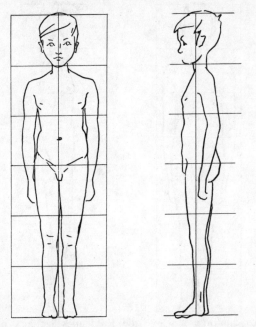

L'enfant de six ans s'affine déjà : la tête entre six fois dans la hauteur totale ; le cou s'allonge, ce qui n'empêche pas l'un d'être mince et grand pour son âge et l'autre d'être resté dodu comme un gros bébé.

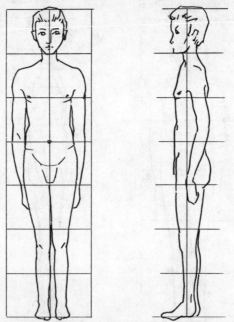

A treize-quatorze ans — que les jeunes lecteurs ne se vexent pas — l'enfant est souvent « ni chair ni poisson ». Petit et gros ou déjà longue perche, une règle générale est difficile à établir. Disons que, en moyenne, il fait sept têtes, ce qui le rapproche de l'adulte qui fait sept têtes et

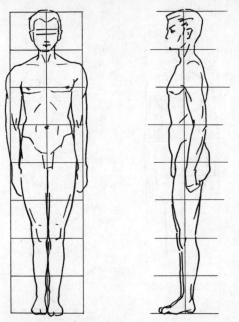

demie à huit têtes. Encore une fois, tout dépend du type physique du modèle : du petit gros au grand maigre, il y a toute une gamme !

Arrêtons-nous à une belle moyenne et considérons qu'un homme d'un mètre quatre-vingts, bien bâti, se divise en

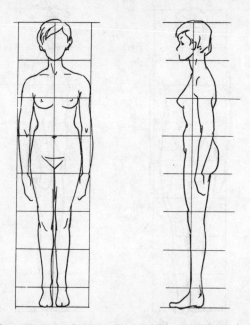

huit têtes, et une femme de grandeur moyenne et bien faite en sept têtes et demie.

L'âge peut faire varier ces règles : un athlète parfait peut se tasser avec les années et se retrouver avec sept hauteurs de tête à soixante-quinze ans !

Le squelette

La charpente est un second aspect fort important. Autrement dit, il faut avoir certaines connaissances anatomiques pour réussir un croquis de personnage.

Reprenons ici encore notre livre d'histoire de l'art. S'il est certain que les Grecs avaient une connaissance parfaite du corps humain dès le cinquième siècle av. J.-C., cela n'a pas empêché que l'on reparte à zéro à chaque période ultérieure. L'art à ses débuts, tout comme l'enfant, représente des personnages qui sont presque une convention : ce ne sont que vêtements raides avec une tête, des mains et des pieds. Petit à petit, on les voit se remplir, prendre vie, tant par le mouvement que par la forme, et acquérir enfin une troisième dimension. Le modelé va leur donner le relief qui manquait.

Pour arriver à ce réalisme, il faut une construction solide et, par-là même, une connaissance suffisante du corps humain. Partant de ces bases générales, vous deviendrez soit un Michel-Ange, soit un Ingres, selon votre tempérament.

Bien sûr, le squelette tel que vous le verrez aux pages suivantes, vous ne le dessinerez jamais. Vous n'en dessinerez que la forme générale.

Ce point de départ de tout croquis de personnage peut se présenter de différentes façons : il y a le bonhomme en fil de fer, c'est-à-dire un schéma très simplifié du squelette ; il y a le bonhomme en bois articulé auquel on peut donner toutes les positions de l'être humain. L'un et

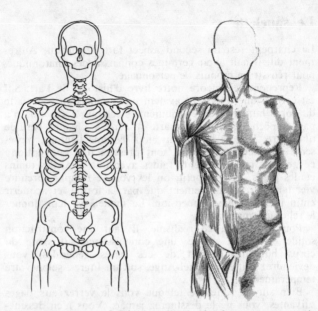

l'autre permettent de donner l'attitude du personnage, de le camper dans différentes positions. Il ne reste plus alors qu'à l'habiller, de chair d'abord et puis de vêtements.

Voici, en quelques pages, les vues les plus utiles du corps humain. En squelette d'abord, puis en muscles et enfin tel quel, sous son apparence normale.

18

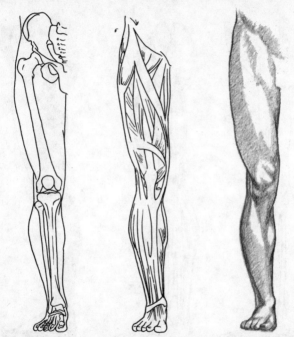

ou sculpté des femmes aussi musclées que des athlètes, tandis que d'autres, accentuant la différence, représentaient des hommes plus bruns et plus musclés.

Voici une jambe d'homme vue de face.

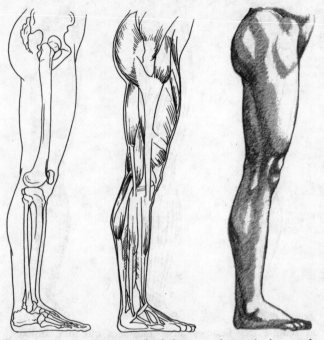

Remarquez comment, malgré les muscles qui s'entremêlent, la direction de l'os de la cuisse se retrouve dans le modelé. Ceci se manifeste aussi bien de face que de profil.

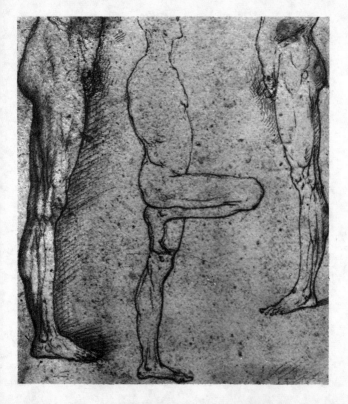

23

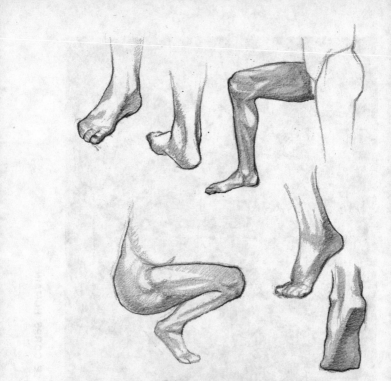

Un pied est aussi difficile, si pas plus difficile à dessiner qu'une main, surtout quand il est en raccourci.

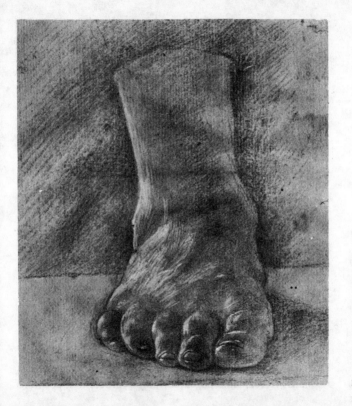

25

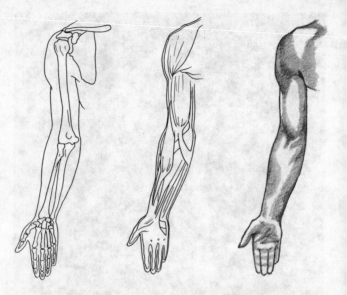

Pour dessiner un bras, tout comme une jambe d'ailleurs, il faut savoir « ce qu'il y a dedans ». Les membres représentés ici sont bien musclés, ceci dans le but de faciliter la compréhension. Néanmoins, les positions sont simples, sans déformations dues aux mouvements.

Vous verrez, aux pages suivantes, différentes positions

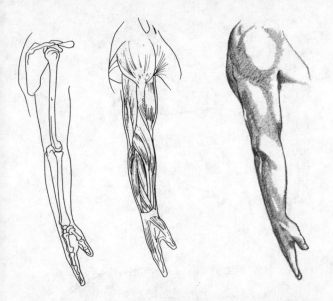

de bras, muscles tendus ou relâchés, des mains de tout âge dans diverses positions ainsi que leur construction. Les mains, et les pieds aussi, sont difficiles à dessiner. Contrairement à ce que l'on croit souvent, une main est plus compliquée qu'un visage, mais tout aussi importante, car elle trahit parfois mieux la personnalité.

Un bras plié peut être souple ou contracté par l'effort ; les muscles alors se gonflent et se marquent de façon beaucoup plus précise.

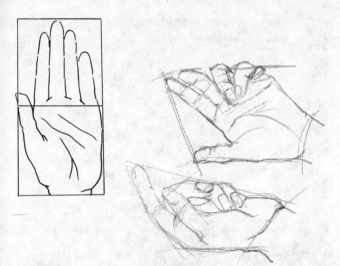

La construction d'une main, comme celle d'un corps ou d'un visage, dépend de ses lignes directrices. Il s'agit d'abord de géométriser la forme générale, puis de tracer les lignes marquant chaque série d'articulations. Il est indispensable de rester dans les lignes de direction et de ne s'attaquer au modelage et au détail que lorsqu'on est certain de sa construction.

D'autres facteurs, tels que l'âge et le sexe, peuvent influencer le dessin d'une main. Depuis la petite menotte jusqu'à

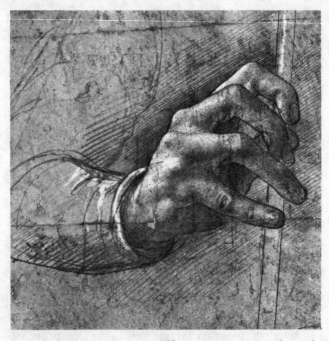

la main osseuse et toute ridée, en passant par la main virile, énergique à la longue main fine élégamment féminine, les différences sont énormes.

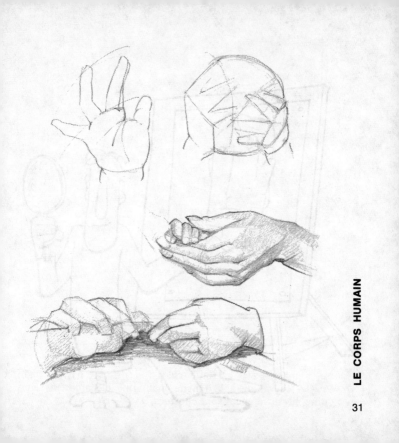

II

LA TETE

Dans cet ensemble qu'est le corps humain, la tête est, avec les mains, ce qu'il y a de plus difficile à dessiner.

En dehors de l'expression qui fait la ressemblance, le dessin de la tête obéit à certaines règles bien précises et peut se décomposer en plusieurs parties. Il y a d'abord les proportions générales ; ensuite, ce que deviennent ces proportions quand la tête bouge ; et enfin les détails : les yeux, le nez, la bouche, pris séparément.

Les proportions

Dans cet œuf sur la pointe qu'est un visage de face, il faut

3-FL 323

retenir quelques grandes lignes de construction. Un axe vertical part du milieu du front pour aboutir au milieu du menton, lorsque le visage est de face. Il s'incline à gauche ou à droite en même temps que la tête. Dans un visage de trois quarts, cet axe dessine une courbe légère suivant toujours le centre du front, le point entre les sourcils, le centre de la base du nez, celui de la bouche et du menton. De profil, il devient le contour avant de la tête.

En hauteur, un visage de face se divise en quatre : les cheveux, le front, le nez, la bouche et le menton. Les oreilles se placent à hauteur du nez. Les lignes de construction sont horizontales quand le visage est droit et, bien sûr, s'inclinent avec lui. Elles peuvent aussi monter ou descendre si la tête se baisse ou se relève.

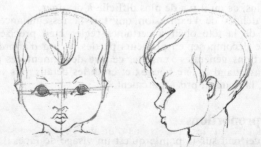

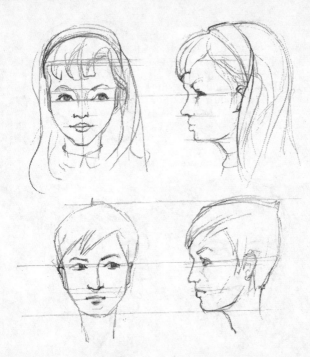

En grandissant, les proportions d'un visage d'enfant se rapprochent de celles de l'adulte.

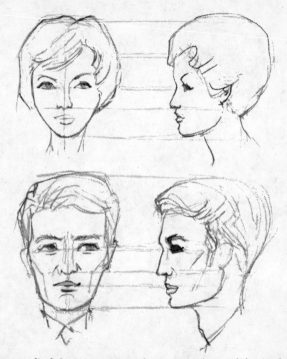

36 Visages d'adultes respectant les proportions citées précédemment.

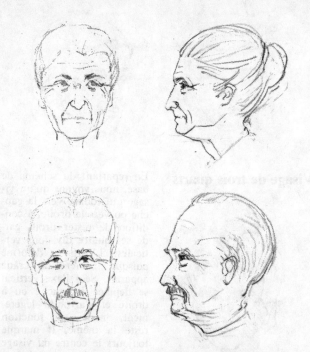

Avec l'âge, les proportions restent les mêmes, mais le visage s'affaisse.

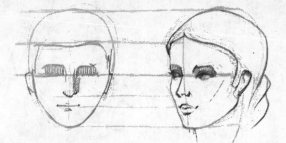

Visage de trois quarts

En repartant du schéma de base, nous voyons qu'un visage qui tourne vers la gauche ou vers la droite, à condition de rester droit, garde ses quatre divisions verticales. L'œuf se déforme puisque l'arrière du crâne apparaît. Seul l'axe vertical se déplace à gauche ou à droite et s'arrondit légèrement, mais sa fonction reste la même. Il marque toujours le centre du visage et permet de situer, à leur place, les yeux, le nez, la bouche.

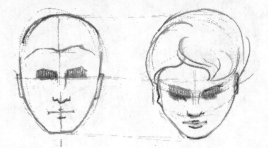

Visage incliné (haut et bas)

Dans un visage incliné, mais toujours de face, l'axe vertical ne bouge pas. Ce sont les constructions horizontales qui changent. Incliné vers le bas, le quart du haut devient plus ou moins grand suivant l'inclinaison du visage. Ces lignes, suivant en réalité le volume du crâne ou de l'œuf, s'arrondissent puisqu'elles sont vues en perspective. Incliné en arrière, c'est le menton qui devient plus important.

Visage incliné (à gauche ou à droi-te)

Quand un visage s'incline d'un côté ou de l'autre, tout en restant de face, c'est l'ensemble des construc-tions, verticales et horizon-tales, qui suit le mouve-ment. Si, de plus, il est de trois quarts, les choses se compliquent. Il suffit toute-fois de se rappeler les di-rectives précédentes et de les rassembler, soit en ob-servant soigneusement son modèle, soit en raisonnant la construction s'il s'agit d'un dessin d'imagination.

L'œil

Après la construction générale, voici les détails.

Le dessin d'un œil est chose complexe et une bonne observation s'impose si l'on veut réussir.

Regardez l'œil attentivement de face, de profil et dans toutes les autres positions ; remarquez la façon dont la paupière le recouvre, son épaisseur, le détail des coins. Regardez l'œil bouger, et essayez de le dessiner dans ces diverses positions.

La bouche

Après avoir observé une bouche-type — la forme différente de la lèvre supérieure et de la lèvre inférieure —, regardez autour de vous et vous verrez qu'elles sont toutes différentes ! Il y a les lèvres pleines et charnues, les lèvres minces et pincées, les petites bouches rondes, les bouches larges, celles qui sont tristes ou gaies, celles qui restent légèrement entrouvertes. Il y a les coins qui montent ou qui descendent...

Le nez

Ils sont tous très différents, mais ils partent tous de la même construction : une demi-boîte d'allumettes coupée en diagonale.

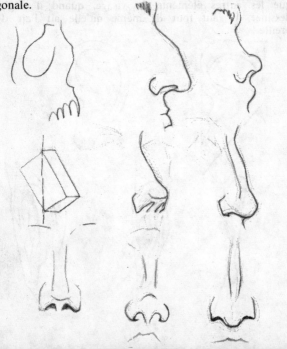

L'oreille

L'oreille-type s'inscrit dans un rectangle, mais elle est rarement vue de face. Bien qu'elle soit moins importante que les autres éléments du visage, quand il s'agit de dessiner, il faut tout de même qu'elle ait l'air d'une oreille !

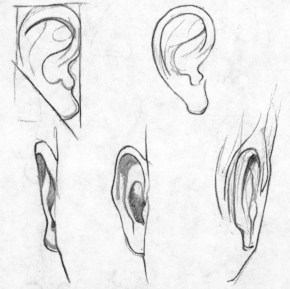

Les cheveux

Comme les traits d'un visage, l'implantation des cheveux est un signe distinctif. Du front bas à la calvitie, en passant par les fronts dits « dégagés », il y a, ici encore, un dessin précis qui doit être bien observé.

S'il s'agit d'un dessin d'après nature, il faut d'abord considérer la forme générale de la tête, cheveux compris : c'est-à-dire, le départ des cheveux autour du visage.

La coiffure ensuite se construit comme une nature morte ou un paysage : il faut observer les lignes générales et masser les ombres. Enfin, le dessin s'achève au trait en marquant le sens des mèches.

La coiffure

Dans le cas d'un dessin de « coiffure », il faut faire intervenir la stylisation. L'interprétation devient alors personnelle et va de la simplification au trait, au dessin fini, presque technique, retraçant les détails qui permettraient à un coiffeur de réaliser la même coiffure.

III

LES EXPRESSIONS

Dessiner une tête, ce n'est pas simple ; lui donner l'expression choisie ou observée, c'est plus complexe encore ; c'est lui donner la vie.

Observez les visages autour de vous : il en est qui sont naturellement souriants, d'autres éternellement grincheux. Un visage habituellement sombre peut s'éclairer d'un sourire, tout comme un visage souriant peut s'éteindre brusquement. La douleur aussi peut changer un visage : il suffit de regarder quelqu'un qui souffre de migraine…

4-FL 323

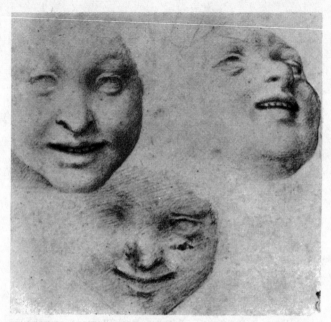

La joie

Schématiquement, la joie est représentée par des traits qui remontent. Une petite ride bien placée près de l'œil peut donner un air joyeux.

Le rire est à employer en croquis ou en bandes dessinées. Il vaut mieux l'éviter en portrait car, à la longue, il se fixe et devient facilement grimace.

51

Le chagrin

Contrairement à la joie, le chagrin est représenté par des lignes tombantes. Le front se fait soucieux ; le coin extérieur des yeux et des sourcils semble descendre. Les coins de la bouche aussi s'affaissent ; ceci plus ou moins fort selon qu'il s'agit d'un chagrin silencieux ou d'une douleur spectaculaire.

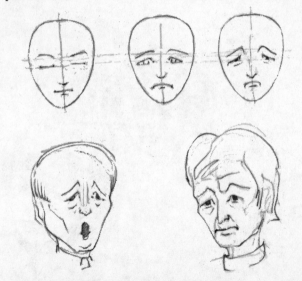

La colère

Ici les traits prennent plutôt une stricte horizontalité. Les sourcils se rapprochent. L'œil devient une barre. Les creux du nez s'accusent davantage. Le menton même devient plus dur, surtout s'il s'agit d'une colère silencieuse. Quant à l'explosion de colère, elle peut prendre tant de formes différentes qu'il est absolument impossible de fixer une règle générale.

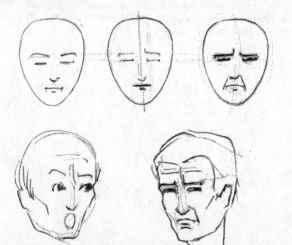

L'expression dans l'attitude

En dehors du visage, d'autres parties du corps peuvent traduire un état d'âme : les mains, la position des bras, les épaules, la démarche même.

Il ne faut pas tellement de détails pour arriver à l'exprimer ; un simple passant schématisé peut donner : un homme normal, un homme assuré, un prétentieux, un homme fatigué ou complètement démoralisé.

Un personnage couché peut donner l'impression d'être paisiblement endormi, ou simplement allongé dans une position alanguie.

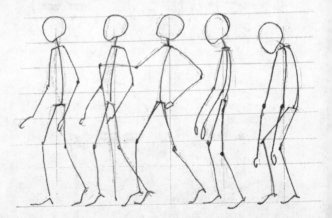

IV

LE MOUVEMENT

Pour étudier le mouvement, ramenons notre personnage à la simplification extrême.

Partons du bonhomme en fil de fer qui schématise le squelette. Lorsqu'on a bien en tête les proportions, on peut lui donner toutes les positions. Il suffit ensuite de l'habiller de muscles, puis de vêtements.

Néanmoins, certaines règles sont à respecter : le personnage doit « tenir » !

Centre de gravité

Pour qu'un personnage — ou un objet — tienne debout

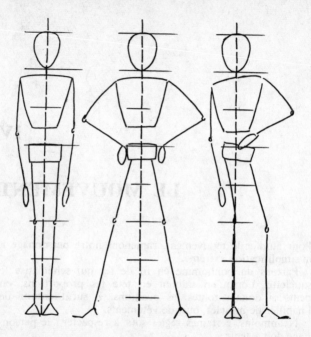

sans point d'appui, il faut — et il suffit — que la verticale passant par son centre de gravité (en l'occurrence, le centre du cou) tombe dans la base de sustentation, c'est-à-dire

dans l'espace délimité par les pieds. Ceci correctement

appliqué, vous pouvez donner à votre personnage toutes les attitudes possibles.

Mécanique du mouvement

De la marche à la course, ce sont d'abord les bras et les jambes qui se mettent en mouvement ; ensuite, le corps se penche en avant pour rétablir l'équilibre (voir centre de gravité).

Pour tirer un poids, le corps se penche également en avant afin de compenser ce poids.

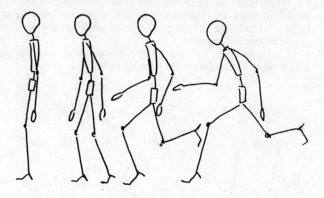

● Mouvement de bras

Ce bonhomme en fil de fer que vous connaissez déjà peut prendre toutes les positions, mais en respectant les proportions : c'est-à-dire qu'un bras qui se plie ou qui se lève garde la même longueur.

Le coude, par exemple, se déplace selon un arc de cercle dont l'articulation de l'épaule serait le centre.

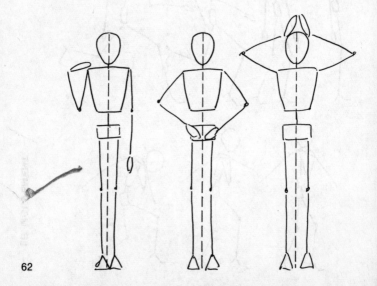

● Mouvement de jambes

Comme le bras, la jambe peut se déplacer de toutes les façons, pourvu que chaque partie garde sa longueur initiale et que le mouvement choisi soit anatomiquement possible, bien sûr. Une articulation ne peut se plier que dans un sens.

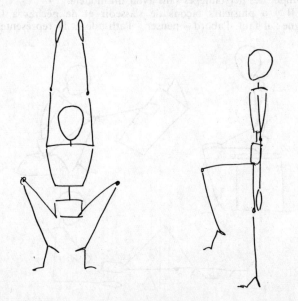

Différentes attitudes

Si vous avez bien en tête les proportions du bonhomme, vous pouvez maintenant lui donner toutes les positions. Cette technique est surtout valable pour le dessin d'imagination, quand il s'agit de reconstituer une scène et de camper des personnages sans avoir un modèle.

Il y a plusieurs façons de s'asseoir et de pêcher à la ligne : il faut d'abord « penser » l'attitude et la représenter

ensuite sans oublier que la longueur des bras et des jambes ne change pas pour autant.

Une fois le personnage bien campé, il suffit de l'habiller en tenant compte des notions anatomiques dont il a été question au début. Ce fil de fer doit devenir un bras dans une manche partant d'une épaule rattachée au corps ; une jambe qui s'attache à la hanche. L'œuf devient une tête, avec des cheveux, qui s'attache au corps par l'intermédiaire du cou.

Quand il s'agit de dessiner des petits enfants, il faut songer aux proportions et tenir compte aussi des plis et rondeurs caractéristiques !

Personnages articulés

En dehors du personnage articulé, il existe de petits mannequins articulés que l'on peut bricoler soi-même ou acheter dans le commerce. Ils ont un avantage sur le bonhomme en fil de fer, en ce sens qu'on peut leur donner la position voulue et même les habiller et travailler ainsi d'après modèle.

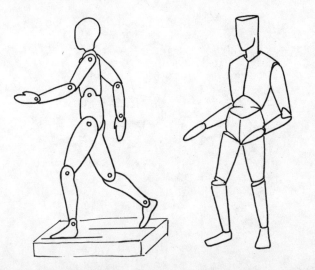

Le plus intéressant et le plus proche de la réalité, c'est le mannequin en bois auquel on peut donner pratiquement toutes les attitudes humaines. Il est fait de bois très dur et les articulations sont également en bois. Son seul défaut est son prix relativement élevé.

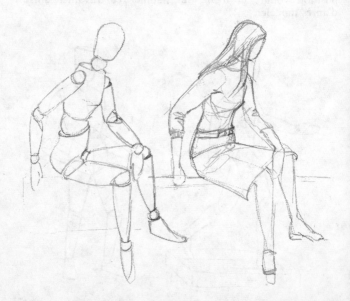

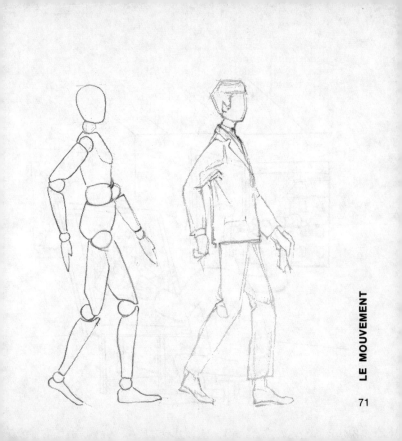

V

LE PORTRAIT

Observez les dessins qui suivent et la façon de procéder.

1. Dessinez largement la forme générale et contrôlez-la avec les grandes lignes directrices.

2. Massez les ombres principales, celles qui donnent du relief.

3. Modelez les demi-teintes et faites éventuellement ressortir les cheveux blancs sur un fond sombre.

Surveillez bien votre modèle, afin de ne pas perdre la ressemblance au cours du travail.

6-FL 323

76

Tissus - Vêtements

Les plis : le principe à retenir est que le tissu vient de quelque part et continue après le pli. Le plus simple est de dessiner le bord du tissu et d'y raccorder les plis.

Les matières : il y a, bien sûr, de grandes différences parmi les matières des tissus. Un velours ne se présente pas comme une mousseline ni comme un satin. Les ombres sont plus douces sur un velours ou une mousseline ; les plis plus cassants sur un satin cuir ou un tissu raide.

Les imprimés : lorsqu'il s'agit d'un imprimé — écossais ou tout autre tissu à motif — il faut simplifier, cligner des yeux pour ne voir que l'essentiel. Trop de détails détruisent l'ensemble et font d'un dessin un vrai fouillis.

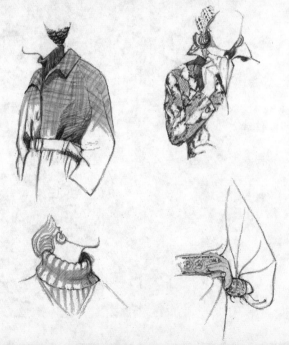

84

Dessin de mode :
principes de base

Pour faire d'un croquis de personnage un dessin de mode, il faut l'allonger, l'étirer, l'amincir et même exagérer. Si le dessin de mode change suivant les époques, les principes de base restent les mêmes.

Pour une robe du jour ou un ensemble sport, la silhouette passe de sept têtes et demie à huit têtes au moins, le

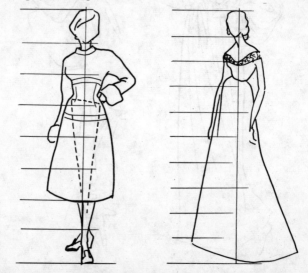

Les détails (comment les présenter)

Le but de ce Flash n'étant pas de vous présenter la dernière mode, les détails choisis le sont au hasard dans vingt ans de mode, partant du principe qu'une chose jolie peut le rester même si la mode change.

Comme les silhouettes des pages suivantes, ils sont interprétés à la manière de quelques grands dessinateurs de mode.

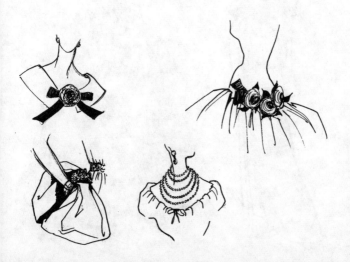

Ces deux pages sont un exemple de l'évolution du dessin de mode. Environ vingt ans les séparent.

Les poissons

...

VI

LES ANIMAUX

Après les personnages, les animaux. Si les principes de construction restent les mêmes, certaines difficultés viennent parfois s'y ajouter : ce sont les plumes et les poils. Il n'est pas toujours facile de deviner la structure de l'animal sous une épaisse fourrure, à moins de connaître parfaitement son anatomie.

Aussi, pour travailler progressivement, nous commencerons par les moins « cachés » : poissons, crustacés, coquillages et reptiles.

Les poissons

Pour dessiner un poisson, il faut procéder comme pour dessiner n'importe quel objet. Il s'agit d'abord de le construire, de rechercher sa forme générale et d'employer comme axe l'épine dorsale. Les détails viendront s'organiser spontanément autour d'une base de dessin bien observée. Les couleurs se représentent en nuances allant du noir au blanc. Les ombres ne sont pas plus difficiles à dessiner que celles d'une cruche de grès, à condition d'en observer la forme exacte.

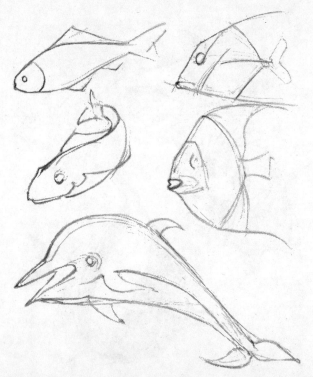

98

Les crustacés

Ils se construisent d'une façon très géométrique. Simplifiés à l'extrême ou détaillés en dessin documentaire, ils n'ont pas besoin de stylisation pour être décoratifs.

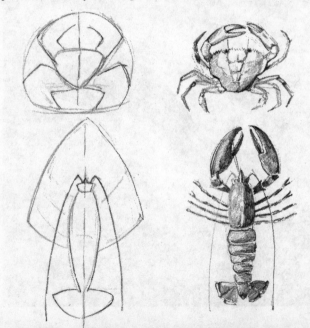

Les coquillages

Plus encore que les crustacés, les coquillages se passent de stylisation. Ils sont en eux-mêmes de très beaux éléments décoratifs. De formes innombrables, il est impossible de les représenter tous. Un bon dictionnaire illustré vous fournira une excellente documentation...

Deux éléments doivent être réunis pour réussir un coquillage : le dessin et le volume. Le dessin, parce que beaucoup de coquillages présentent des détails très fins ; quant au volume, il est donné par le modelé des ombres.

Les reptiles

Toujours dans la série des animaux sans poils ni plumes, les reptiles sont relativement faciles à représenter.

Ici encore, l'épine dorsale sert de construction principale

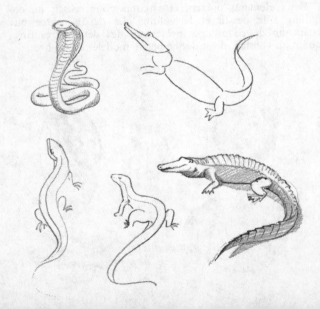

(très visible pour le lézard, par exemple). Même le camé-
léon et la grenouille sont encore assez simples ; les formes
sont bien visibles grâce à une peau plus ou moins lisse.
Quant à la tortue, l'essentiel est de dessiner sa carapace ;
les pattes et la tête sont aussi simples que des petits
boudins en plasticine.

Les mammifères

En s'attaquant aux mammifères, on s'attaque aux bêtes à fourrure et il est beaucoup plus difficile de voir « ce qu'il y a en dessous ».

Comme il est impossible d'étudier l'anatomie de tous les animaux, seuls les principaux seront détaillés. Partant de ceux-ci, on peut imaginer la structure des autres. Toutes les bêtes à quatre pattes sont plus ou moins bâties sur le même squelette. Elles sont plus lourdes ou plus élégantes ; elles ont des pattes plus courtes ou plus longues. Un cheval a le même squelette qu'un zèbre et est très proche d'un cerf ; un écureuil a, dans les grandes lignes, la même construction qu'un lapin. Le plus proche de l'homme, que nous avons déjà étudié, est le singe.

Pour que le dessin d'un animal « tienne », il est essentiel de le construire solidement.

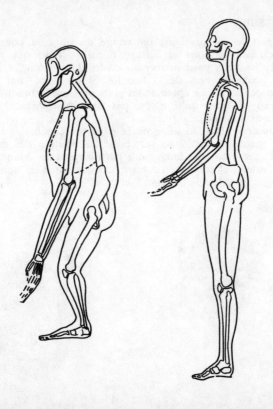

LES ANIMAUX

105

Le singe

A part les proportions, un visage de singe se construit exactement comme un visage humain : l'axe qui passe entre les yeux pour arriver au centre du menton, la ligne des yeux, du nez, de la bouche. Si les yeux sont plus rapprochés, le nez épaté et les poils plus encombrants, qui oserait affirmer qu'il n'y a pas une ressemblance avec certains humains...

Observez bien le singe de la page précédente : la ligne des épaules, la colonne vertébrale, la position des membres ; remplacez les longs poils par un costume, donnez-lui un fauteuil et un verre de bière, et vous aurez un honnête citoyen installé à la terrasse d'un café !

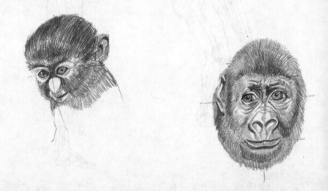

Le cheval

La plus noble conquête de l'homme n'est certes pas l'animal le plus simple à dessiner, malgré son poil bien lisse qui ne cache pas sa forme exacte.

Le schéma du squelette ci-dessous permet de comprendre le mécanisme du mouvement d'un cheval de profil. Partant de ce schéma, on obtient, suivant son modèle, un cheval de course fin et nerveux, un paisible cheval brabançon, un cheval de fiacre, un âne, etc.

109

La vache

Son schéma ressemble assez à celui du cheval. Ce sont d'ailleurs ces schémas qui vont servir pour la plupart des animaux à quatre pattes. Dans bien des cas, seul le revêtement extérieur change ; le squelette d'un lion n'est pas tellement différent de celui d'un zèbre ou d'un chevreuil. Même le dessin de la girafe part de la même base que celui du bison ; la première l'allonge et l'étire, le second la ramasse et semble ainsi prêt à foncer.

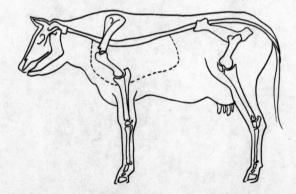

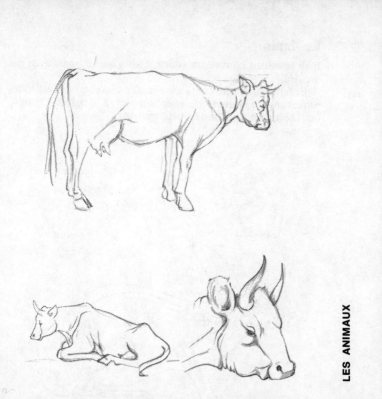

Le lapin

Il se construit comme un écureuil sans queue, mais avec des oreilles.

Il fait partie de ces animaux familiers et ses attitudes sont caractéristiques et assez simples à dessiner, malgré qu'il se cache sous une épaisse fourrure.

Le chien

Dans ses grandes lignes, la construction du chien ressemble à celle du cheval en plus petit. La longueur des poils, les oreilles, la queue, la taille différencient les races de chiens.

Grand Spitz

Caniche

Lévrier russe   **Fox**

Dans un dessin ombré au crayon, la meilleure technique consiste à faire des hachures dans le sens des poils, pour les chiens à poils longs comme le scottish et l'avant du caniche. Pour les chiens à poils ras, la musculature est plus visible et permet un modelé précis.

Scottish

Danois

Caniche

Bouledogue anglais 117

Le chat

En croquis schématique, il faut tenir compte de la souplesse d'un chat. Les lignes sont courbes. En dessin ombré, la technique est la même que pour les chiens.

Le chat est un animal passionnant à dessiner pour l'extrême diversité de ses expressions et de ses attitudes.

Tantôt paisible et ronronnant, tantôt très digne, il peut aussi prendre des allures de fauve en chasse et devient alors en quelque sorte, un tigre en miniature.

Croquis rapide

Ces schémas simplifiés sont ceux que tout le monde apprend en les copiant. Ils représentent un dessin réduit au minimum de traits permettant de reconnaître un animal. Ils ressemblent à ces petits jeux des chiffres transformés en animaux : un 2 est un cygne, un 6 est un lapin etc. Le chien, le chevreuil, le cheval, sont des haricots montés sur quatre pattes ; le petit singe est un 6 à l'envers...

Le mouvement simplifié

Plus difficile que les précédents, le dessin d'un animal en mouvement demande une observation très précise du modèle ou du document. Il s'agit de trouver « la ligne » qui permettra d'identifier la bête et le mouvement.

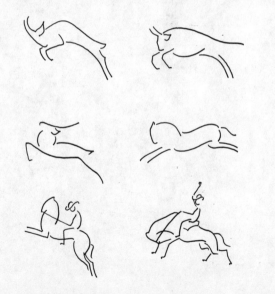

121

122

Le lion

A tout seigneur tout honneur ! En schéma ou en dessin, sa crinière lui donne cet air altier, mais sa construction reste celle de n'importe quel quadrupède.

Sa compagne, un peu moins grande, lui ressemble fort. L'absence de crinière fait paraître sa tête plus petite.

Cerf

124 **Bouquetin**

Girafe

Bison

LES ANIMAUX

125

Ours blanc

Dromadaire

Hyène tachetée

Zèbre

LES ANIMAUX

Les oiseaux

L'oiseau sort de l'œuf et ne parvient pas à le faire oublier ! Ceci simplifie fort sa construction. D'abord l'œuf plus ou moins incliné suivant la position de l'oiseau ; puis, d'un côté la tête et de l'autre la queue. A cette base s'ajoutent les détails particuliers au genre d'oiseau choisi.

Cette règle est valable aussi bien pour dessiner une grue couronnée et un flamant (ci-dessous) que pour les poussins, les canards, etc.

LES ANIMAUX

129

130

131

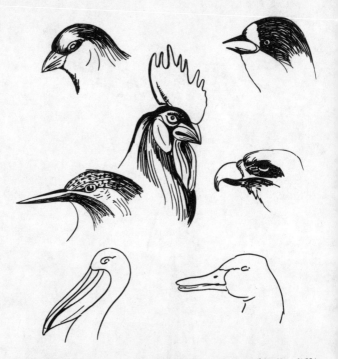

En dehors de la silhouette générale, certains détails différencient les oiseaux : ce sont les becs et les pattes.

132

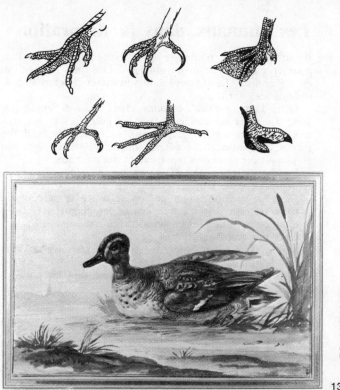

Les animaux dans la décoration

Il suffit d'ouvrir n'importe quel livre d'histoire de l'art pour voir que les animaux ont leur place dans tout ce qui est décoration. Les exemples se suivent et il serait impossible de les citer tous.

Dans l'art égyptien, certains dieux étaient représentés avec des têtes d'animaux ; dans les peintures et les bas-reliefs, les poissons et les oiseaux décoraient le fond des scènes de chasse et de pêche ; même l'alphabet égyptien employait des symboles représentant des animaux.

Les bas-reliefs assyriens, sortes de murs en céramique, représentaient des taureaux ailés.

Dans la sculpture romane, on retrouve le serpent du paradis terrestre sur les tympans et les chapiteaux. Dans l'architecture gothique, les têtes d'animaux servent de gargouilles aux cathédrales.

Même dans le mobilier de style, on retrouve têtes et pattes de lion dans les piétements.

Les animaux les plus faciles à styliser sont les poissons et les oiseaux.

Les poissons

On peut les simplifier, les décorer, les employer comme motif de frise : ils sont déjà décoratifs, sans ou avec très peu de stylisation. Représentés dans leur milieu d'algues et de coquillages, ils font de beaux panneaux décoratifs.

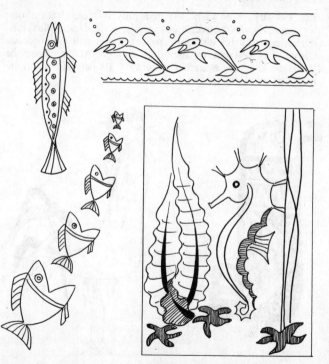

Les oiseaux

Les oiseaux demandent un peu plus d'interprétation que les poissons. Ils peuvent être stylisés, de façon plus moderne, pour cartes de vœux, par exemple, soit à l'encre de Chine, à la gouache ou même en collage. Accompagnés de fleurs ou d'autres éléments décoratifs, ils peuvent servir de motif de broderie.

LES ANIMAUX

137

Deux exemples d'application en décoration intérieure : oiseau en vitrail — poisson en mosaïque.

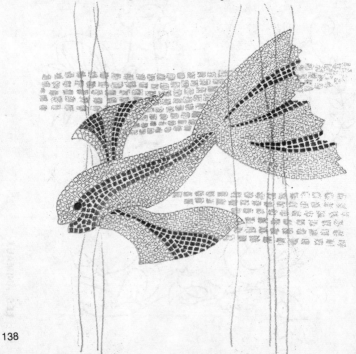

L'art a souvent fait appel à la mosaïque et les animaux y
ont leur part. Parfois réalistes comme dans les mosaïques
romaines, ils sont plus souvent stylisés à la manière des
mosaïques byzantines.

L'exemple reproduit ci-dessus est copié d'une mosaïque
de la chapelle palatine à Palerme. Il s'agit de deux

lionnes symétriques tournant le dos à un motif décoratif qui sert d'axe. Il y manque, bien entendu, tout le chatoiement des couleurs !

Sur du carton à gratter, un motif simple, aux lignes élégantes, peut faire un joli panneau qui habille à merveille un mur clair. On procède à la plume. La principale difficulté consiste à faire un trait souple et sans bavures, car celles-ci sont sans pardon.

VII

DESSIN ANIME, CARICATURES...

Il y a le dessin et les à-côtés du dessin. Pour personnaliser la présentation de vos films de vacances, pour illustrer des menus, des invitations, des faire-part de naissance ou de mariage, rien de tel que les petits personnages et les animaux.

Il y a aussi l'illustration et les dessins pour enfants, et encore la caricature. Celle-ci, toutefois, demande certains dons : un bon dessinateur n'est pas toujours un bon caricaturiste. A vous d'exercer vos talents !

L'animation

Créez un petit personnage qui vous ressemble, de préférence. Faites-le très simple, afin de pouvoir, sans difficulté, lui donner différentes attitudes. Il vous servira dans de nombreuses circonstances et deviendra une sorte de petit emblème de la famille, que vos amis retrouveront dans vos films, sur vos invitations à dîner et même dans les livres que vous leur prêtez.

Pour faire les titres d'un film, comment procéder ? Travaillez de préférence sur du cellulo. Faites un premier personnage qui représente la première image ; faites ensuite le dernier, c'est-à-dire la fin du geste. Vous pourrez ainsi très facilement intercaler les autres. Plus vous aurez de décompositions du mouvement, plus le geste sera naturel à la projection.

Si vous voulez que votre personnage évolue sur un fond — paysage ou autre —, il vous suffit de dessiner ce fond sur une autre feuille ; celui-ci restera fixe et le personnage en mouvement sera filmé en superposition.

Ces conseils concernent la façon de procéder au point de vue dessin. Vous trouverez des conseils techniques dans l'Encyclopédie des Jeunes, tome 14 (Marabout).

DESSIN ANIME, CARICATURES

145

● **Les petits personnages**

Ils se construisent exactement comme un personnage normal. Pour les rendre plus drôles, il suffit d'agrandir la tête, de laisser jambes et bras en fil de fer. On accentue aussi le caractère principal ; par exemple, l'attitude du peintre qui admire son travail ou le poids du sac sur le dos du campeur.

146

● Petit personnage pour chambre d'enfant

1. Construction normale d'un enfant.

2. On reprend l'essentiel de la première construction, mais on agrandit la tête, on allonge légèrement les jambes par rapport au corps ; éventuellement, on cambre davantage. Achèvement : de grands yeux en demi-cercle placés un peu plus bas que la moitié du visage, le crâne plus rond, les cheveux stylisés, la robe plus raide, les jambes un peu trop longues et un peu trop droites, les chaussures réduites à deux demi-cercles.

● **Dessins pour enfants (animaux)**

Les dessins dits « pour enfants » sont bien souvent plus appréciés des grands. Les réussir demande moins de dons que la caricature mais beaucoup d'exercice. C'est en copiant les bons dessinateurs qu'on apprend. C'est à force de regarder comment Walt Disney fait rire un animal qu'on finit par y arriver aussi. Copiez un maximum *sans jamais*

décalquer ! Quand vous aurez fait dix fois le même dessin essayez de le faire sans regarder le modèle. Si vous y arrivez, c'est que vous avez compris la façon de procéder. Oubliez alors vos modèles et créez vos animaux, vos personnages.

La caricature

C'est un don… La ressemblance, bien souvent, ne repose
que sur un détail caractéristique bien choisi.

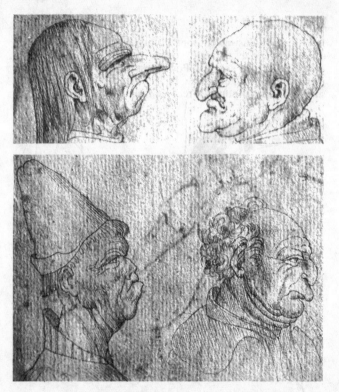

151

L'illustration

Les sujets d'illustration sont infinis, surtout quand il s'agit d'histoires pour enfants : celles qui arrivent aux petits animaux et aux enfants. Pour vous mettre en train, commencez par les *Fables* de La Fontaine. Une seule image suffit en général pour les reconnaître.

Le matériel

● **Le papier :** pour le dessin — personnages ou animaux — il vaut mieux s'en tenir à un papier assez lisse ; par contre on peut varier les couleurs ou employer du blanc sur fond noir. Toutefois, certains papier grainés peuvent produire des effets originaux avec un crayon gras ou un fusain.

● **Les crayons :** la variété des mines va du plus dur au plus tendre. La gradation généralement utilisée est la suivante : le crayon normal, celui utilisé notamment pour les crayons publicitaires, est un HB ou n° 2. C'est une mine moyenne qui convient à tous les usages. Les H, 2H, 3H etc. sont de plus en plus durs et conviennent pour un dessin de précision genre dessin documentaire. Les B, 2B, 3B etc. (marqués parfois aussi 0, 00, 000) sont de plus en plus tendres et seront employés pour le croquis rapide et le dessin ombré.

Ces règles sont valables pour la mine de plomb comme pour la mine compté.

● **L'encre de chine :** elle est réservée au travail à la plume ; elle convient uniquement pour le dessin au trait et ne permet aucune nuance.

● **Les marqueurs :** s'emploient comme un crayon gras mais donnent un résultat plus dur parce qu'ils ne permettent que fort peu de nuances.

● **Le fusain :** s'emploie aussi comme un crayon gras mais donne, à l'inverse du marqueur, de plus grandes possibilités de gris dans le modelé ; idéal pour bâtir une construction

153

(portrait par exemple) parce qu'il s'efface plus facilement.

● **Le carton à gratter :** se vend en dimensions standard ; il est le plus souvent noir. Il se travaille avec une plume triangulaire (plume à gratter) ; le trait apparaît alors en blanc sur fond noir.

Comment les utiliser

Le trait : contrairement à ce qu'on pourrait croire, un trait peut se faire de plusieurs façons : le trait « pur » est une ligne d'épaisseur égale très difficile à faire à main levée. Le trait « nuancé » est d'épaisseur variable. Il comporte, suivant le cas, des parties plus épaisses et plus foncées qu'on appelle les pleins, et des parties fines, plus claires, les déliés. Il est plus expressif que le trait pur, on l'utilise notamment pour :

- la délimitation ombre-lumière : du côté de l'ombre il sera plein ; du côté de la lumière, plus fin et plus clair ;

- l'impression d'éloignement : les personnages ou les animaux situés plus loin dans l'espace seront représentés en traits fins et clairs par opposition au trait plus vigoureux des objets au premier plan ;

- la couleur : les tons clairs seront représentés en grisé clair, les tons sombres en gras noir. Il s'agit de représenter le sujet comme s'il était photographié en noir et blanc ;

- la matière : une plume d'oiseau sera dessinée avec un trait léger et fin, tandis que les poils d'un bison par exemple, demanderont un trait plus lourd et plus noir.

Table et sources de l'iconographie

Louvre, Paris. (Ph. Giraudon).

P. 122 : **Parmesan.** *Etudes de trois chevreaux*. Musée Condé, Chantilly. (Ph. Giraudon).

P. 133 : **J. Van Huysun.** *Sarcelle sur l'eau*. Musée Condé, Chantilly, (Ph. Giraudon).

P. 151 : Attribué à **Léonard de Vinci.** *Caricatures*. Musée des Beaux-Arts, Lille. (Ph. Giraudon).

DES PRESSES DE GERARD & C°
65, rue de Limbourg, B-4800 Verviers (Belgique)

D. 1970 /0099 /170

TABLE DES MATIERES

TABLE D'EQUIVALENCE

des mesures françaises et canadiennes

1 centimètre	=	0,393	pouce
1 mètre	=	39,37	pouces
	=	3,28	pieds
	=	1,093	verge
1 kilomètre	=	0,621	mile
	=	1093, —	verges
1 mètre carré	=	10,746	pieds carré
	=	1,196	verge carré
1 hectare	=	2,48	acre
1 mètre cube	=	35,31	pieds cube
1 litre	=	0,22	gallon impérial
1 kilogramme	=	35,27	onces
	=	2 $\frac{1}{5}$	livres
1 kilomètre/heure	=	0,62	mile/heure

marabout Flash